郑栗儿/著
含仁/绘

大师密码 A-Z系列

大师密码P

再也不睡觉了

人民东方出版传媒
People's Oriental Publishing & Media
東方出版社
The Oriental Press

图书在版编目（CIP）数据

大师密码. P, 再也不睡觉了 / 郑栗儿著；含仁绘. —北京：东方出版社，2015.11

ISBN 978-7-5060-8740-7

Ⅰ. ①大… Ⅱ. ①郑… ②含… Ⅲ. ①儿童故事—作品集—中国—当代 Ⅳ. ① I287.5

中国版本图书馆 CIP 数据核字（2015）第 267108 号

本书由台湾东初文化事业股份有限公司独家授权
中文简体字版专有权属东方出版社
著作权合同登记号 图字：01-2014-7445 号

大师密码 P：再也不睡觉了
（DASHI MIMA P: ZAIYEBU SHUIJIAO LE）

作　　者：郑栗儿
绘　　者：含　仁
产品经理：张媛媛
责任编辑：张媛媛
出　　版：东方出版社
发　　行：人民东方出版传媒有限公司
地　　址：北京市东城区朝阳门内大街 166 号
邮政编码：100706
印　　刷：小森印刷（北京）有限公司
版　　次：2016 年 3 月第 1 版
印　　次：2016 年 3 月第 1 次印刷
印　　数：1—5 000 册
开　　本：720 毫米 ×950 毫米 1/16
印　　张：5
字　　数：48 千字
书　　号：ISBN 978-7-5060-8740-7
定　　价：18.00 元
发行电话：（010）64258117 64258115 64258112

每个父母都希望孩子未来能出类拔萃，并在孩子的教育问题上倾尽心力。

许多孩子长大后成熟乐观，在社会上如鱼得水，但不少人成年后并不快乐。他们即使地位显赫、经济条件优越，依然郁郁寡欢。带来快乐的因素有很多，其中起决定作用的则是人格。面对同样的问题，不同的人格往往造就不同的结果。

怎样才能培养健全的人格？我们不妨到传统文化中去寻找答案。几千年来，儒、道、佛相得益彰，共同塑造着国人的精神世界。儒家关切社会的治理，道家关怀生命自然状态的保持，而佛家则关心人生痛苦的解除。故此，历史上就有“儒家治世、道家治身、佛家治心”的说法。

今天很多人习惯于将佛教简单理解为一种宗教，有的人甚至认为它是封建迷信。如果去掉宗教的外衣，它其实是一座充满智慧，兼具心理、品德教育功能的文化宝库。

为此，我们从台湾引进了这套“大师密码”A–Z 系列。这套书以 130 个佛教大师的成长故事，体现了 130 个美好的人格特质。沉着、孝顺、无畏、远见……从这些有趣的故事里，孩子们不但可以学会如何获得成功，更能明白如何倾听内心的声音，获得快乐。

这套书结构编排巧妙，集合了台湾优秀的作家及插画师。书中故事生动活泼，插画精美，在台湾广受好评，曾获得台湾“第 27 次中小学生优良课外读物推介”。相信它同样会得到大陆青少年朋友的喜爱。

大师的密码　成功的特质

在我还是青少年时，就很喜欢阅读佛教大师的传记故事。可以说，我的人格就是从阅读大师的史传故事，点点滴滴建立起来的。

不论大人、小孩都喜欢读故事，法鼓文化历时两年的筹备，制作了这套有丰富精美插画的“大师密码”A–Z 系列。这套书中，选出 130 个“大师的美好特质”，一个特质就是一个大师故事，让孩子在趣味的故事中自然吸收大师的养分。

我曾指出佛教的高僧必须具有四大条件：持戒清净、修行精进、慈悲济众与护持佛法；如果转换成现代人的语汇，就是自律、认真、宽大、懂得回馈，而这些正是所有成功人士必备的条件。

很多家长以为孩子学佛会变得消极、不具竞争力；如果从大师的四大条件来看，这样的想法完全错误！孩子接触佛法绝对会更积极、健康，能为他们的一生奠定稳固的基础。

大师们的成就绝非偶然，也没有人一出生就是大师，父母应该提供这样的环境，让人格正在成长形塑中的孩子，吸收历代大师们的生命菁华，转化为他们自己的。我相信这一套“大师密码”A–Z 系列，能够成为孩子们成长的助缘！

聖嚴

台湾法鼓山禅修文教体系创办人

再也不睡觉了

大师密码

Penitent 悔悟

米饭从哪里来的呢？如果你问印度的阿那律王子，答案是："这还用说，是从黄金碗里长出来的呀！"因为他没看过农人种田，只看到奴婢从黄金碗里盛饭，就理所当然地这样认为。幸好他跟随堂兄佛陀出家了，这才有机会走出不劳而获的梦幻王国，看见真实的世界是"一分耕耘，一分收获"。

正因为这样，阿那律更加珍惜学法时光。一次上课时他不小心打瞌睡，被佛陀训了话，从此他废寝忘食地用功直到双眼失明。他不睡觉可不是因为怄气，而是不想再助长自己娇生惯养的习气，所以自我要求特别严格。

虽然阿那律肉眼失明了，可心眼却更明亮了，无论远近内外、黑夜白天，他都看得见。但阿那律并不以此自满，反而主动前往远地弘法，帮助黑暗世界的人们，点亮一盏心灯。

小档案 阿那律

- 国籍：印度
- 别称：佛陀十大弟子天眼第一
- 专长：禅修
- 影响：为精进学习的佛教代表人物
- 事迹：能接受别人的批评，以虚心代替慢心

原为印度王子的阿那律，褪去繁华随佛陀出家后，如今已成为一位淡泊简朴的僧人。但他俊美的外表并不因为剃光头发、穿上素净僧服而失色，正相反，更衬托他无比优雅的气质，也因此为他惹来不必要的麻烦。

在前往憍萨罗国弘法途中，阿那律的身影穿梭在荒野村庄的街巷中，因为他暂时找不到可以投宿的地方。这时，一扇门忽然打开了，一位美丽的少女提着水桶要去汲水，她看到阿那律，立刻被他俊秀的外表吸引住了。

阿那律主动问她：“姑娘，请问这附近有可以住宿的地方吗？”

女孩热心地回答：“这里穷乡僻壤的，哪里找得到借住的地方？你不如到我家来住吧！我家人外出办事，正好有空房可以让给你住。”

阿那律有点儿犹豫，心想：“比丘可以和女人独处在同一个屋檐下吗？这点佛陀的戒律好像没提到。”眼看天就要黑了，阿那律的脚也起了水泡，实在没办法再走下去了，他只好接受了女孩的邀请，进入屋内休息。

女孩很殷勤地款待阿那律，不仅端水让他洗脚，还为他准备了热汤、热饭，阿那律用完餐后，随即闭目静坐，一心等待天亮后早点上路。

没想到，女孩却趁着半夜无人时，跑到阿那律床前，对他温柔地说：“我是善良人家的女孩，平时也很守规矩。虽然我知道你是一个沙门❶，不能结婚，但是我一看到你，就忍不住喜欢上你了，你可不可以留在这里，让我侍候你一辈子呢？”阿那律紧闭着双目，对于女孩的示爱完全置之不理。

直到女孩伸出手想拥抱阿那律时，阿那律终于忍不住睁开眼，制止她的行为：“请你不要如此！你如果执着于感情，只会为自己带来麻烦而已。”阿那律的一番劝导，让女孩心生惭愧，她跪下来请求阿那律的原谅，并决定学习佛法。

❶ **沙门**：佛教出家人。

这件事传回僧团[2]以后，许多人对阿那律不受美色诱惑的坚固道心极为称赞，连阿那律也忍不住暗自窃喜，觉得自己离悟道的目标似乎又近了一步，连世间的美色他都可以超越了，还有什么关卡不能突破呢？

阿那律没想到他过得了“美色”这一关，却过不了“睡眠”这一关。

这天清晨，一群人坐在竹林里听佛陀讲经，凉风习习，感觉微凉舒适，刚远行归来的阿那律，因为太过疲乏，听着听着，忍不住就打起瞌睡来。

佛陀停止原来的说法，忽然说了一句：“螺躲在蚌壳内，可以一睡一千年，不闻佛的名字。”

[2] **僧团**：佛教的出家众团体。

一旁的人知道佛陀在说阿那律，赶紧用手推了他一下，阿那律慌忙醒来，只见佛陀表情肃穆地问他：“阿那律，你为什么出家呢？”

阿那律恭谨地回答：“是为了解脱生老病死、人世间的烦恼忧苦。”

佛陀点头：“既然如此，那我在讲如何解脱烦恼的方法时，你为什么睡着了呢？”阿那律惭愧地低下头来，脸都涨红了。

佛陀又说：“你可以拒绝女色的诱惑，却陷入贪睡的昏沉，离悟道还很远哩！”

阿那律马上跪下来向佛陀忏悔："佛陀，请原谅我的懈怠，从今天起，我再也不睡了！"

佛陀扶他起来说："我知道你是太累了，才会不小心打瞌睡，但我要趁机提醒你们，不要忽视了生活中的任何小事，那都可能成为你们悟道的障碍！"

阿那律谨记佛陀的教诲，从那天起，他时时刻刻都在用功，从日出到日落，从天黑到天亮，甚至连觉也不睡了。

“再这样下去，你的眼睛会瞎了！”阿难急得像热锅上的蚂蚁，不停地在阿那律耳边叨念，但后者仍不为所动，过了一阵子，一双红肿的眼睛已疲累到看不见任何东西。

佛陀也放心不下阿那律，前来劝他：“修行固然重要，但也不能过于满负荷，身体还是要注意啊！”

阿那律笑答：“请佛陀别挂念，我并不是故意折磨自己，我正享受着学习佛法的喜悦，不睡也没关系。”

佛陀知道再怎么劝说阿那律也没用，只得请名医耆婆来医治他的眼睛，耆婆对阿那律说：“你只要肯睡觉，眼睛就会好了！”

阿那律摇摇头说：“看见有那么重要吗？我们的眼睛不是去看别人的缺点，就是执着于美好的景物，看不见也不一定是件坏事！”

不久，阿那律的眼睛真的失明了，虽然所有人都对他悔悟贪睡的精神深感敬佩，但也为他的失明感到可惜。

“你看，衣服破烂成这样，你都没办法缝！”好心的阿难专程来为阿那律缝补僧衣，因为阿那律连穿针引线都没办法做了，他也不知自己身上的衣服已经破成什么样了。

阿那律反过来安慰阿难：“可是，我现在所看见的世界比以前更宽广了，我可以看见另一个看不见的内在世界！”对于心性的起伏变化，阿那律比以前更敏锐，每一个念头的生出，他都能用心的眼睛立即察觉。

阿难还没缝好僧衣，佛陀就出现了：“阿那律，让我来为你做一件新的僧衣吧！”

阿那律连忙推辞说：“怎么敢劳驾佛陀亲自为我缝制僧衣呢！”

佛陀和蔼地说：“对于懂得悔悟的好弟子，我当然要尽一份心力。”

这时，目犍连带着一群比丘也赶来了，因为他无意中听到阿难要帮阿那律补衣服的消息，便转告其他僧人，大家都热心地来帮助阿那律缝制新衣。

佛陀的慈悲和众人的关怀，让阿那律感动得说不出话来，不到一天时间，一件崭新的僧衣就完工了。阿那律穿在身上，沐浴在佛陀的祝福中，浑身散发着光明和喜悦，他依照佛陀所传授的心法修持，果然很快就悟道了。

不怕命运坏到底

大师密码

Persistence 持之以恒

“旅行”本是一件开心的事，但如果这一走就是十几年，这样漫长的流浪岁月，可是会把英雄的雄心壮志都消磨光的！来自印度的真谛，却以恒心超越了时空的考验。

以佛学素养享誉印度的真谛，虽然年近五十岁才被梁武帝邀请到中国译经，但他却胸怀壮志，想通过译笔把印度的珍贵经典好好地介绍到中国。不料，当时中国战争频繁，让他无法一展抱负，只能东躲西藏的，这一藏，十几年光阴就这样过去了。

受挫的真谛，没有因此放下译笔，而是随身带着经典，走到哪里就译到哪里，以聚沙成塔的方式，累积了丰硕的成果。因此，他不但成为中国佛教史上与鸠摩罗什、玄奘、不空齐名的“四大译师”，还是摄论宗的开山祖师。

小档案 真谛

- 国籍：印度
- 别称：摄论宗始祖
- 专长：翻译经典
- 影响：中国佛教四大译师之一
- 事迹：不受战乱影响，独自译经十多年

眼前是万丈深渊，老和尚正站在南海北山险峻的崖顶上，举目四望着。这里是山的最高处，如果从这里跳下去的话，那一定会粉身碎骨，世间所有的烟尘和风风雨雨就此消失了。

老和尚叹了一口气，周围的景色实在太美了，云海包裹群山，似乎连接着千里之外的无边海洋，面对如此壮阔的山色，老和尚不禁回想起当初应梁武帝之邀来中国译经的情形，以及往后颠沛流离的遭遇。

“真谛师父，您能来中国真是太好了！中国正缺乏大乘经典❶的翻译，需要您鼎力相助。”一向笃信佛教的梁武帝对天竺（古印度）高僧真谛礼敬有加。

一旁前往扶南国迎请的官员张汜也补充说：“大师年少时就遍访名师，非常精通大乘学说，他游历四方，这回能从扶南国把真谛师父请来，这真是皇上的福气。”

真谛谦虚地说：“我今年已经五十岁了，往后如果能为中国的译经大业做出一些贡献，可说是我的荣幸。这一次我带了二百四十册的印度经论，希望能派上用场。”

❶ **大乘经典**：大乘佛教所信奉的经典，包括成佛之道、菩萨道，佛性论、六波罗蜜等大乘佛教教义，这些教义与小乘佛教教义里所侧重的内容不同。

梁武帝欣喜非常，赶紧派人将真谛师父安顿在宝云殿，让他能专心译经。没想到，译经工作正要开始，梁朝却发生了侯景之乱，不但首都建业（今南京）被占领了，到后来梁武帝遭叛军软禁，饿死台城。

真谛带着一箱子经论梵本，东逃到浙江，富春县令陆元哲知道他的身份后，便把他接回府上居住，并就近召集二十多位僧人，为真谛组织了一个译场译经。不久，真谛又被请回建业，但译经工作根本没办法进行，因为侯景兵败，使整个国家陷入了一片混乱，等梁元帝即位，地方秩序慢慢恢复后，真谛才转往正观寺，和愿禅师等二十几名僧人，一起合译出《金光明经》。

捧着刚译出的《金光明经》，愿禅师感动地说：“这部千年难得的经典，今天我能见到中文版的诞生，真是死而无憾了！”

真谛点头：“真希望能再译出其他精彩的大乘经典，只可惜目前的大环境还是很糟糕，恐怕我又得离开建业了！”

愿禅师也忧心忡忡地说："是啊！元帝自身难保，侯景之乱虽然平息了，但是西魏军又攻入新都，长江中游一带也被北朝占据了，我看梁朝岌岌可危了。说来，这也是我佛教界的不幸，好不容易请来您这位大乘高僧，却没办法译经，还让您这么辛苦地跑来逃去。"

做事情一向持之以恒、坚持到底的真谛，反过来安慰愿禅师："别这么说，所有的菩萨都是在逆境中成长的，我既然来到中国，无论如何，一定会完成译经的使命！"

真谛离开了建业，先到江西，辗转又到了广东、福建，好像一朵浮萍，居无定所地漂到东，漂到西，生活非常不安定。但他始终没有停止手中的译笔，就算栖住在野外的破茅屋下，他也是借着微弱的月光，一笔一画写下动人的经典文字。

在奔波辗转中，梁朝已经消失了，取而代之的是陈朝，为了确保翻译行文的准确性，真谛不时和梁朝时的旧友保持联系，遇到翻译不通顺的地方，随时加以更正，由此可见他不受外界影响、认真译经的态度。

当译经告一个段落时，六十多岁的真谛伫立在码头边，带着那一箱子随他东奔西跑的经论，准备搭船回天竺去，他心想：“既然无法重返建业，与其到处流浪，还不如回天竺度过晚年！”

没想到，途中风向突然转变，开往天竺的帆船，又被风刮回广州，好像命中注定一样，真谛要留在中国。

“看来大师与中国有缘，何不到制旨寺继续译经呢？”广州刺史欧阳頠带着一群慕名而来的僧众，前来迎请真谛大师。

一心想回天竺的真谛犹豫地说：“但我年事已高，恐怕贡献有限，还是择期返回天竺吧。”

欧阳頠一听，立刻和所有僧众一起跪下：“为了中国大乘佛教的前途，请大师务必留下。”

面对众人，因为盛情难却，真谛只好又留下来译经，并应邀四处说法，一群跟随他的弟子，受到他持之以恒、不懈努力的精神感染，慢慢形成了一股勤奋的学风。但是真谛觉得自己真的老了，七十多岁、风烛残年的他，没有体力再过这种颠簸流离的生活。

于是，这一天他独自走向南海北山……

慧恺遍寻不着真谛师父，急得跑来找欧阳颁商量：“师父不见了！他不会回天竺了吧？”

欧阳颁心里也很着急：“可是最近没有任何开往天竺的船只啊！我知道他老人家最近身体不好，心情也大受影响，他不会想不开吧？”

两人赶紧外出寻找，沿途询问路人有没有看见真谛师父的踪迹，一位樵夫说：“我从北山下来时，看见一位老和尚正往山顶走去。”慧恺、欧阳颁和一群僧众，脚步快速地往北山山顶赶去。

此时站在崖顶上的真谛，早已将他似水流年的一生抛在脑后，被眼前天空中巨大云朵的变化吸引住了，耳畔却传来弟子慧恺的呼唤声：“师父！您在哪里？”

真谛大师缓缓转头，朝慧恺挥一挥手，众人看见师父还好端端地站在崖顶，便喜出望外地奔过去，每个人都跑得气喘吁吁，脸上布满汗珠。

慧恺忍不住哭了起来：“师父！您可别抛下我们啊！”其他人也跟着哭了。

真谛大师却笑了：“怎么啦？我只是出来散散心，你们就急成这样！大家看，这云跑来跑去的，不管它跑去哪里，它永远都在天空中；而我不管在哪里，我也永远都在佛法里。你们放心，就算再怎么不顺遂，师父都会继续译经，不会回天竺的！”所有人听后都破涕为笑。

两年后，真谛大师因病逝世了。直到去世前，都还在宣扬大乘佛法，他为中国译经持之以恒的付出，使他成为著名的四大译师之一。

抢不走的勇气

大师密码 Precepts 守戒

见月十四岁时父母双亡，由伯父抚养长大，因此当他二十七岁那年在朋友家的园林里游玩，一听说伯父去世了，便想出家以报答伯父的恩情，朋友豪气地将整座园林送给他作为修行的地方。原本不可一日无酒的他，从此滴酒不沾，在园内专心向道。

没有拜师学法的见月，原本都是凭自己的想法修行，后来经一老和尚劝说出家，从道士变成了法师。见月在宝华山三昧律师门下受戒，并掌管宝华山，革除弊病、弘扬律法。由于见月不惧生死，面对乱民、盗贼，多次以身护法，深得人心敬重。他知道很多人想争夺方丈的位子，便孑然一身主动离去，大家纷纷追随他下山，不久再度被迎请上山，重振道场。宝华山在见月的努力经营下，终于成为清初佛教界的传戒典范。

小档案 见月

- 国籍：中国
- 别称：小吴道子、还极道人
- 专长：研究律学、绘画
- 影响：使明末式微的律学，再度受到重视
- 事迹：不眷恋方丈权位，坚辞钱财空手下山

清朝刚开始时，旗兵的官马吃了老百姓的许多麦子。当时乡民们并不清楚状况，眼看着麦子被马吃掉了，气得干脆将马私吞为己有。将军巴公便下令把乡民抓起来，处以叛乱罪，不但杀了很多乡民，连田产也一律没收了。其他逃走的乡民，流落荒野后因走投无路，只好成群结伙当了盗匪，四处抢劫。

刚担任宝华山方丈的见月，面对这种混乱局面，要维持道场以传戒驰名的传统已经够辛苦了，没想到另一位重要的副手达照法师，却因为害怕盗匪上山抢劫，悄悄地离开自己也避难去了。

面对这些困境，见月并不慌张，师父临终前的托付犹历历在目，尽管当时比他更早追随三昧和尚的僧人大有人在，但师父仍坚持将衣钵传给一向勇于担当、不受世俗牵绊而严守戒法的见月。

这份重责大任，见月不敢辜负，他心想：“现在外头盗匪作乱，寺内结夏安居[1]的制度荒废已久，并未实行。不如趁这个机会开始闭关[2]，让所有僧人严遵律规、加倍用功，以了解修道必须按戒律而行的重要性，并避免闲杂人等的打扰。”于是见月便关上寺门，带领众僧一起闭关用功。

❶ **结夏安居**：印度夏天雨季长达三个月，在此期间出家人不能外出，齐聚一处修行。

❷ **闭关**：关门谢客，择定一室为关房，隐居修行，闭关期间不能离开关房。

不料，闭关才一个月，土匪首领张秀峰就和一百多名盗贼闯了进来，张秀峰对见月说：“你们寺庙楼房很多，厨灶也很大，我们要借住几天。”

见月义正词严地拒绝：“当初妙峰大师建造此寺时，都是由当地父老乡亲一起欢喜供奉，其中也有各位先祖的功德。今天你们想来借住，但你们向人抢讨钱财的恶行，不仅会玷污佛教圣地，若佛寺收留你们，被官府知道的话，我们也难逃包庇的罪过，你们还是去别的地方吧！不要毁坏了先祖的功德。”

张秀峰听后勉强说：“好吧！我们听师父的话，到寺外去住。”尽管如此，见月等人还是阻挡不了土匪三番两次的闯入，连官兵闻风后也多次前来搜查。

一天，见月禅师独自在礼佛，他打开窗户向外望去，看见一位形迹可疑的中年人在廊下四处探看。他马上下楼对顿悟法师说：“这人是官兵假扮的，特地来监视寺里的情况，千万不能留他。”顿悟听后却不以为意。

没多久，一百多名土匪手持武器，闯入寺内。顿悟十分惊恐，因为大家都知道他曾在明朝宫廷领职，非常有钱，顿悟怕土匪向自己讨钱，就假装热情，煮饭招待他们，想借机笼络一番。见月禅师知道后，赶去阻止，只见一群土匪早已坐在斋堂里高兴地用餐了。

见月禅师叹了一口气，对顿悟说："这座千年古刹和寺中一百多条人命，就要毁在你这一顿饭上了！"果然，那名中年人是官兵派来的，他站在斋堂外，看见里头的一切，微笑着离去。

过了两天，一百多位清兵深夜上山，以窝藏土匪的罪名为由，把见月禅师和所有僧人一起押到军营，里头已经关着很多被捆绑的土匪。见月与僧人们蹲坐在一处，一名士兵对他们说："各位师父老实招了吧！否则你们就像这些人一样，只有死路一条！"说完，有十六位被指认为土匪的乡民立刻被杀了，血都溅到了见月等人的僧衣上。

见月禅师赶紧安抚大家的情绪："各位不要慌张，都把心安定下来，一心念佛。假如在劫难逃的话，再怎么躲也躲不过，如果不是，就自然有解脱的方法。我们平时的戒律修行，在这危难时候更要紧紧守住，才能得到加持。"于是，所有僧人都跟着见月禅师喃喃念佛。

顿悟被抓去问话，供出见月禅师是方丈。见月随即也被抓去问话，见月心想："生死就像水中的泡沫，生灭无常，千万不能失去僧人的威仪。"于是，便从容不迫地缓步慢走。

两排士兵手拿利刃，齐声威吓，叫见月跪在官员面前。见月禅师却面不改色地说："依照佛制，僧人不拜俗人，岂能为了求生而下跪，违反戒律？"见月禅师说完后，只合掌鞠躬，站在一旁。

巴将军和一起负责审判的廒将军、陈操江用满语交谈了几句，翻译官转头对见月说：“巴将军说，你是个好和尚，你就免跪吧！”

陈操江接着问见月：“土匪们住在山上，你为什么不来举报，擅自收留呢？”

见月禅师不紧不慢地回说：“我并没有收留土匪，华山顶上有一条过山大路，土匪从前山去后山，或者从后山去前山，都会经过本寺，不知情的人看到了，还以为他们就住在佛寺里。”

陈操江回首仰望华山，果然有一条过山大路，便说："这件事就不追究了，可是这个顿悟是明朝宫廷中人，他私下供养土匪，是不是心怀叛乱，你一定知道！"

见月回答："顿悟禅师早在明朝崇祯十六年就来到山上出家，我只知道他舍官修行，至于他的居心如何，只有他自己知道，我怎么会知道！"

陈操江点头说："看来你是不知道，下去吧！"见月禅师仍然举止端正，一步步走回去。

就这样经过几次审问，从炽热的日正当中，到天色渐黑，除了四位和土匪有关系的僧人被扣押外，见月等人已被带到山坡下。

周围的官兵对众僧说："今天要不是方丈，来回几次把事情说明白，而且和三位将军有缘分，恐怕你们都要掉脑袋了。"

隔天的几番审问后，当时正值日正当空，周围也没有可休息的避暑树荫。有一位敬重见月禅师威武不屈的士兵，把腰间的弓囊递给他当枕头，暂时休息一下。见月禅师婉谢说："这是杀人的武器，持戒的人不能使用。"

另一位士兵则递给见月禅师一块饼，见月禅师接过饼后，弄碎了分给每人一点。士兵忙说："给你吃的，不用分给别人！"

见月禅师回答："我们是一起修行的，今天身处患难，还能不共享一块饼吗？"

这番话让在场的士兵都心生敬佩，而见月禅师不畏权势，事事以戒律为根本的守戒精神，更是赢得了官兵们的信任，事后不但放他们回去了，并保全了他们的寺产，还亲自担任佛寺的护法❸。

❸ **护法**：保护佛法的人。

没有不能原谅的人

大师密码

Peaceful 平和

法然从小就在父亲的期望下，努力学习射箭、骑马等技术，希望长大后能成为杰出的日本武士。但在法然九岁那一年，被仇家刺杀的父亲，遗言中说不要报仇，希望他出家修行。

虽然武家与佛家是一条截然不同的道路，但法然还是接受了父亲的遗命出家了。聪慧的法然在比叡山短短三年间，就读完了天台三大部经典，被誉为“智慧第一的法然”。然而法然还是找不到解除烦恼的道路，面对不停歇的战乱天灾，他一直苦苦思索，如何让没有学问的民众通过佛法离苦得乐。

直到法然四十三岁时，才终于找到了人人都能学习的称名念佛法门。因为方法非常简单，广受中、下阶层民众信仰，阿弥陀佛的佛号，不久就像樱花一样快速开遍了日本各地！

小档案 法然

- 国籍：日本
- 别称：智慧第一的法然
- 专长：念佛
- 影响：日本净土宗创建者
- 事迹：放下为父报仇的怨恨

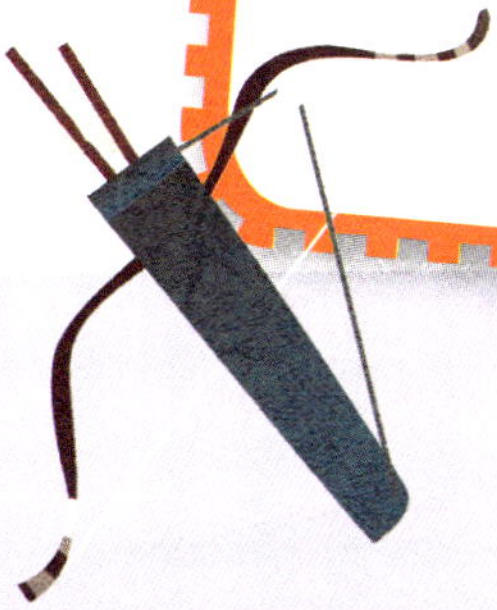

绿色庄园隐没在黑夜中，小势至丸就要睡觉了，他将自己最喜欢的弓箭挂在墙上，躺在床上不久就进入了梦乡。

恍惚间，屋外传来一阵混乱的厮打声，被惊醒的小势至丸赶紧跳下床，抓起弓箭，奔到庭院里一看，父亲时国正被来袭的仇敌定明用武士刀刺入腹部，小势至丸急忙抽出箭对准定明一射，“咻”的一声射中了他的手臂，定明痛得放下手上的武士刀，大喊一声：“退！”，便率领部属逃离了庄园。

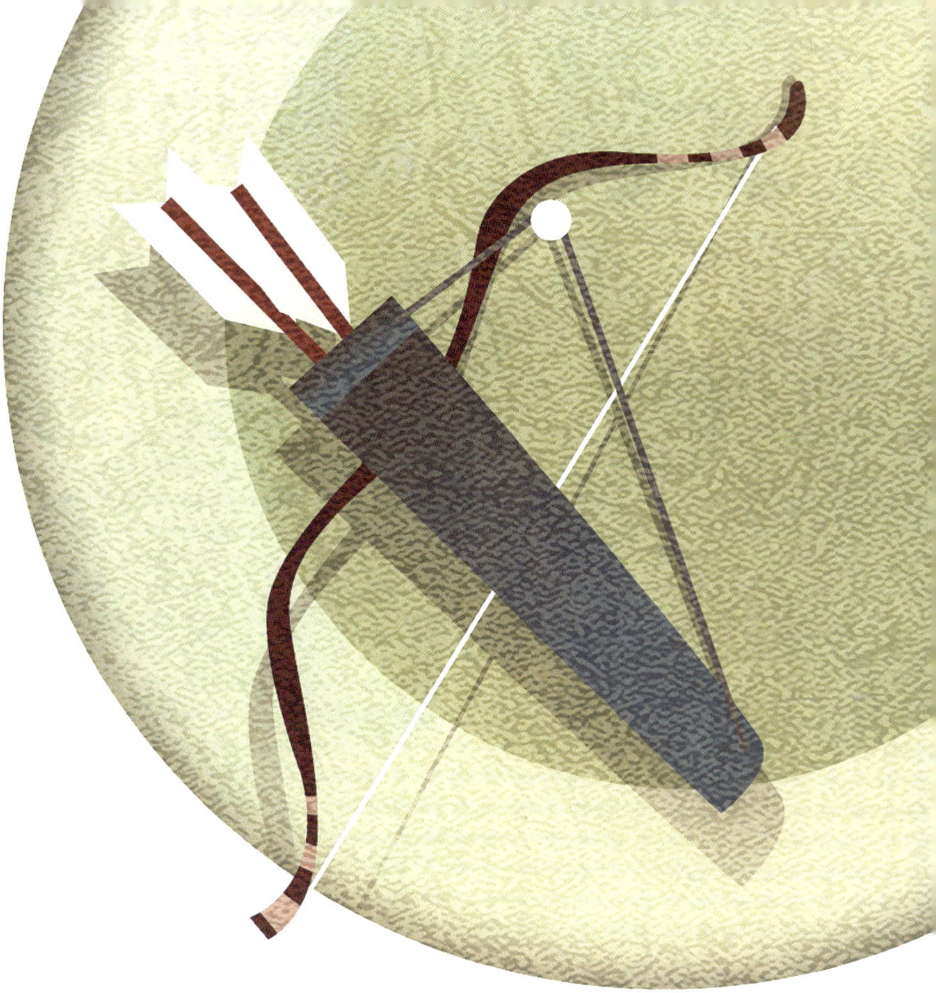

重伤的时国把小势至丸唤到床边，说："你千万不要有复仇的心，要平和地接受这一切，冤冤相报是没有终结的。我死后，你去找舅舅出家，为我祈福，也为自己寻求解脱吧！"势至丸强忍泪水点头答应了，时国微微一笑，闭上眼睛便安然过世了。

看着父亲安详离去的面孔，势至丸十分惊讶："为什么父亲可以一点儿怨恨都没有，就这么平静地走了呢？死亡难道不可怕吗？"

势至丸遵从父亲的遗言，随着舅舅观觉和尚出家，以父亲的遗志作为终生教诲的他，努力地研读佛学。

有一次，母亲来佛寺探望他，舅舅观觉趁机向姐姐提议：“这孩子很有研究佛学的天分，埋没在乡下太可惜了，不如让他去京都比叡山[1]学习吧。”

势至丸的母亲不舍地说：“可是，这样我们就分开得更远了，他才十三岁而已。”

观觉劝姐姐说：“比叡山是有名的大丛林[2]，对他的前途绝对有帮助。”

于是势至丸拿着观觉的介绍信，前往比叡山拜源光为师，法名为法然，勤学不倦的他成为比叡山“智慧第一”的年轻栋梁，但是法然的疑惑还是没有得到答案：“怎样才能平和地接受一切，包括死亡呢？”

❶ **比叡山**：为日本天台宗山门派的大本山。

❷ **丛林**：通常指禅宗寺院，又称禅林。

听说黑谷是一个寂静的、不受外界干扰的、修行的好地方，那里聚集着许多隐居的人，他们在一起修行，十八岁的法然，也久闻黑谷住持睿空的盛名，完成先前的学业后，便来此拜睿空禅师为师。

经过几年的修炼后，法然又下山游历一番，四处参学，他看到了许多民间疾苦，心中不免感叹：“现在时局不稳，只有贵族才能够建寺供佛，一般的老百姓连温饱都有问题了，怎么学佛求得解脱呢？”

法然决定闭关，希望从经典中找出最简便的法门，终于他在四十三岁那一年，读到善导[3]大师所写的文句：“只要一心诵念阿弥陀佛[4]佛号[5]，任何人都可以往生净土[6]。就算有烦恼或者心乱，一样诵念佛号，阿弥陀佛一定会来接引。”

❸ **善导**：唐代僧人，号终南大师，为净土宗三祖，持名念佛的倡导者。

❹ **阿弥陀佛**：西方极乐世界的教主，具有无量的光明与寿命。

❺ **佛号**：诸佛菩萨的名号，如“阿弥陀佛”。诵念佛号可帮助身心保持专注、稳定、清明。

❻ **往生净土**：指命终时，能前往投生于佛国的清净世界。

法然高兴得说不出话来，多年来的疑惑，终于得到了解答。

大力宣扬念佛法门的法然，果然得到全国老百姓的支持，从白天到黑夜，大街小巷中，处处都可以听见“阿弥陀佛……”的佛号声。

有一天，法然在街市传法时，一辆囚车正好经过，里头关着一位贵族囚犯，他一看到法然，立刻哭着说：“我曾经领命放火烧毁佛寺，很害怕死后会下地狱，请师父慈悲救救我！”

法然当场为他开示：“你烧毁佛寺的确是犯了大罪，但只要你真心忏悔，祛除恶心发善心，心平气和地一心诵念佛号，就算罪业深重，阿弥陀佛也会来救你的！”囚犯听后，长跪着向法然叩谢，直到囚车消失在街尾。

这件事传开后，社会大众都把念佛法门当作是生命救赎的快捷方式，法然的影响力也愈来愈大。这让一些朝廷所支持的旧式僧团非常不安，他们向天皇说了法然的许多坏话：“一定要禁止念佛法门，像法然这种说法‘只要一心念佛，所有人都可以往生净土’，那还要佛寺干什么呢！”

“而且，这不是连恶人都可以往生了吗？”

“没错！他还说女人也可以成佛，这是什么说法啊？”

众人议论纷纷，说得头头是道，于是天皇便下令将法然流放到偏远地带，不得再传法。

听到这个坏消息，弟子们全都聚集在法然面前，内心焦急不已：“师父，这根本是其他宗派故意要毁灭我们净土宗。”

“对呀！还曲解我们念佛往生的真义，我们明明是说：做坏事的人一定要真心忏悔，才能念佛往生啊！”

“更糟的是，他们不但下令禁止念佛，将师父流放，甚至还要师父改回俗名，真是太过分了！”弟子们一一表达心中的不平，每个人都很气愤。

还有人提议：“不如找个人去跟天皇求一下情，师父年事已高，总不能让他老人家真被流放到边地吧。”

这时，始终一派安然模样的法然，平静地说：“各位，你们不必操心，我愿意被流放。”

弟子们听了，更加紧张了：“您年事已高，哪儿禁得起这番折腾！”

法然却笑着说：“我很感谢天皇给我机会，让念佛法门可以流传到日本最偏远的地方，真是阿弥陀佛的恩泽！”

所有人听到后，忍不住双手合十，齐声念了一声“阿弥陀佛”。

七十五岁的法然就这样踏上去边境的旅程，在流放期间，他和弟子们随机倡导念佛法门，使得阿弥陀佛的佛号在日本最偏远的土地上响起。

四年后，法然获释返回京都，来年过世，临终前他还写下了一篇遗训，成为日本净土宗早晚必诵的文章，在声声佛号中，他跟父亲一样安详地往生净土。

你喝的是什么水？

大师密码 Perceptive 有洞察力

如果要讲经给小狗听，应该要怎么讲，小狗才能听得懂呢？新罗（今韩国，下同）的元晓曾为一条死去的流浪狗诵经超度，结果他的师父大安禅师说：“你讲经讲得这么深，小狗哪里听得懂？”大安禅师把讨来的奶放在小狗旁说：“好好吃吧！希望你能投胎到好地方，天天都能吃到好东西。”

这件事对元晓启发极深，因为他自二十九岁在皇龙寺出家以来，一直努力穷究经义，就是希望能找到最适合众生的法门。他还曾为此与义湘一同去中国留学，但在半途中他就悟道了，所以断然放下留学夙愿返回故乡，从此脱胎换骨，改以不同的方式弘法。

元晓还俗后，以载歌载舞的方式，与百姓打成一片，新罗佛教自此走出贵族、走进民间，像美味平价的韩国泡菜，人人都吃得到！

小档案 元晓

- 国籍：新罗（今韩国）
- 别称：薛姓居士
- 专长：创作、研究经典
- 影响：为韩国海东宗的初祖，让佛法传入韩国民间
- 事迹：洞察民心需求，创作歌谣传法

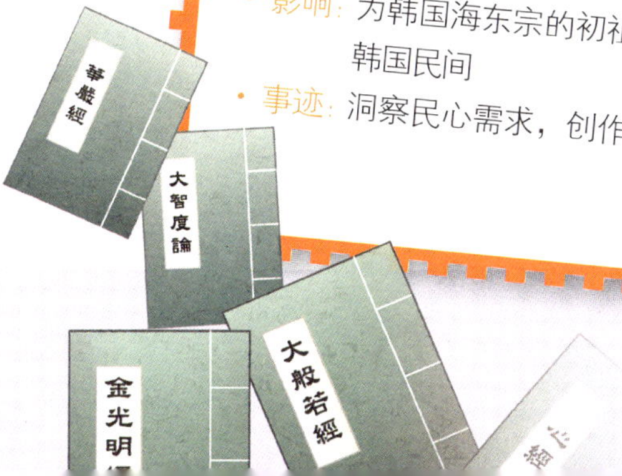

唐朝的玄奘[1]法师从印度带了许多宝贵的佛经回到长安的消息，轰动了全国，消息也从长安城一路传到了邻近的新罗，元晓法师知道后，内心十分向往：“我已经把国内能读的经典都读遍了，正担心没什么可以再学习的，玄奘法师取经归来的真是时候。”

[1] **玄奘**：唐代高僧，世称唐三藏，意谓他精通佛教的经、律、论三藏，熟知所有佛典。是中国非常杰出的译经家，也是唯识宗的创始人。

金剛經
雜阿含經
華嚴經
四十二章經
楞嚴經
華嚴經
大般若經
法華經
華嚴
法華

他兴冲冲地跑去找同门师兄义湘："义湘，你知道玄奘法师回国的事了吗？"

义湘的脸上也流露出同样兴奋的表情："是啊！听说还带回不少特别的佛经，现正在加紧翻译呢！"

元晓提出他的建议："不如我们一起到中国求法，去看看那些佛经究竟说了些什么，你说好不好？"

义湘听后，拍了下桌子，立刻点头答应："好啊！我正有这个打算呢！只是不知道该找谁一起同行，既然如此，我们赶紧收拾行李，过两天就出发吧！"

两个新罗和尚就这么踏上了前往中国的旅途，想到一大堆宝贵的佛经正在长安等着开启他们的智慧，两人就非常开心，一路上有说有笑。时间过得特别快，不知不觉走了好几天，从热闹的城镇来到一处杳无人烟的荒郊野外，到处杂草丛生，还散落着好几座坟墓，再往前就是国界了。

这时天色也暗下来了，距离国界还有一段路，两人又累又渴，完全走不动了。元晓看见坟墓旁有座小庙，伸头探了一下，发现里面空空荡荡，没有半个人影，便决定在此借住一晚。

义湘一边将干草铺在地上当作床，一边对元晓说："你怕不怕鬼呢？我们住在坟区旁边，不知道晚上会不会闹鬼。"

元晓只笑了笑，说："我现在怕的不是鬼，而是没有水可以喝了。"原来口渴的元晓，打开水壶要喝水时，却发现连一滴水也没了。

义湘打开他的水壶说："没关系，我这里应该还有！"结果倒出来的只有空气，跟元晓一样，水早就喝光了，只好尴尬地一笑。

元晓起身说："趁天色还没有完全黑，我们赶紧去找水喝吧！否则天黑了，就更难找到水源了。"

于是，两人外出寻找水源，元晓专注地查看附近周边的情况，发现坟区不远处有一片树林，便对义湘说："有树林的地方，应该就有水，走吧！我们去那里找找看。"

只顾着往地上东看西看的义湘，经元晓这么一说，抬头才瞧见那一片小树林，先前根本都没有察觉，因此更加佩服元晓的洞察力：“元晓，你真厉害，一下子就找到了树林。”

元晓则不以为意：“要找到水源才算厉害！”

元晓确实很厉害，两人踏入树林不久，就听见淙淙的流水声，循声望去，一条清澈的小溪流果真出现在眼前，还被初升的月光映得闪闪发亮，义湘赶紧冲过去，接了一口水喝：“哇！好甜美的水！”一时间所有的口干舌燥全都消除了。

元晓也蹲在溪旁接水喝："这真是我喝过最纯净的清泉啊！"

喝完水的义湘应和说："我看不只是纯净清泉，简直是人间甘露❷！"两人满足地离开了，说好明早出发前，再来取水，以备路上所需。

安稳地睡了一晚，也没有发生义湘所担心的闹鬼情形，早上起来两人精神抖擞，准备上路前，各自拿着水壶又来到昨晚的小溪边，还没蹲下来接水，眼尖的元晓大喊一声："前面好像躺了一个人。"

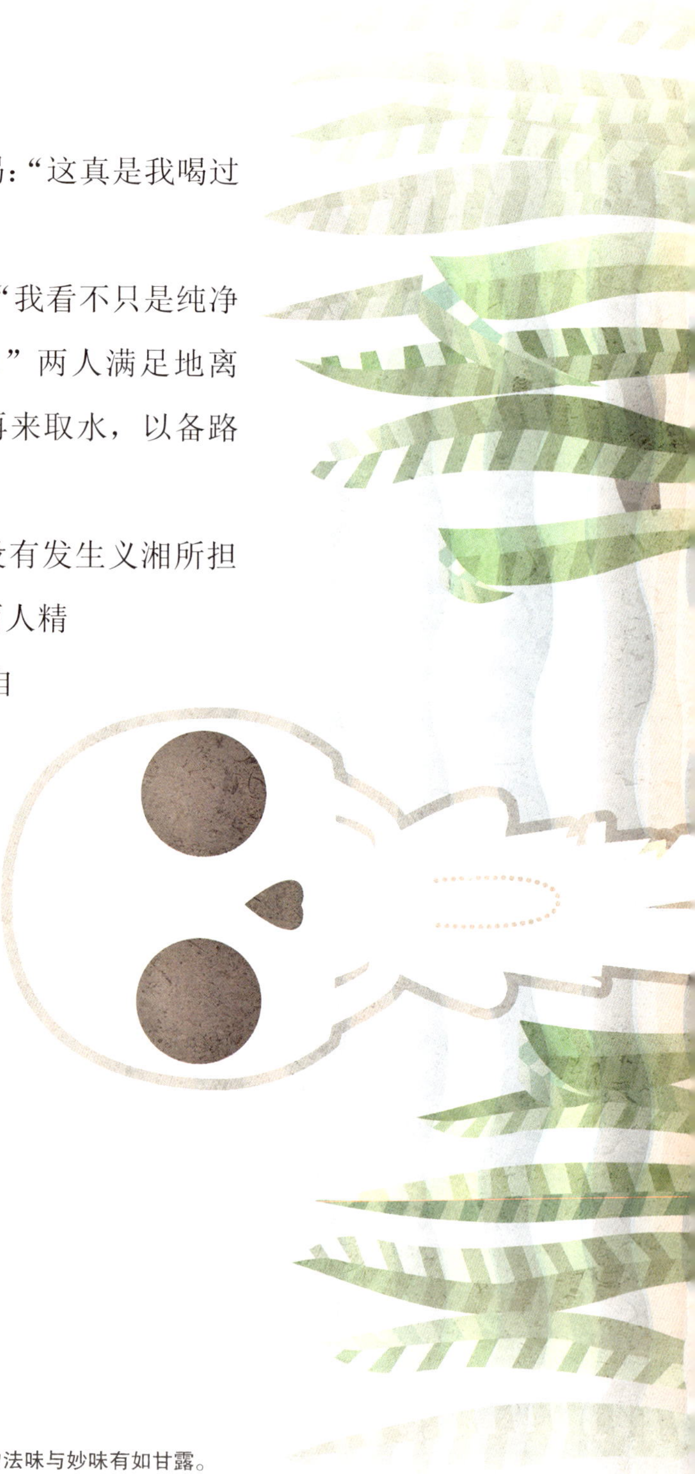

❷ **甘露**：甘露为不死的神药，比喻佛法的法味与妙味有如甘露。

义湘也吓了一跳，跟在元晓后面，慢慢沿着溪流往上游走了没多久，一具腐烂的尸体正好躺在溪水上，死了大概有一阵子了，尸体上面还有蛆在蠕动着，义湘一看觉得很恶心，想到昨晚所喝的“人间甘露”竟然是尸水，他忍不住跑到一旁狂吐了起来，连连惊呼：“好可怕，怎么会这样，明明喝起来很甘甜，没想到却是尸水。”

元晓也愣了一下，心想：“好奇怪！我们喝的是什么水啊？同样的水，前一秒钟还是纯净的清泉，下一秒钟却变成骇人的“毒水”；如果我刚刚没看见这具尸体的话，会不会什么事都没有，还把它当作成原来的甘露呢？人心真的很脆弱，这么容易就被外界所影响。”

想到这里，再看看那具泡烂的尸体，他突然觉得并不那么可怕了，突然，元晓恍然大悟地对义湘说：“义湘，我懂了！只要我们的心清净，就算是尸水也会跟清泉一样甜美。”

还没回过神的义湘，疑惑地问：“你在说什么？”

元晓接着又说：“所有的一切都是心造成的，今天你的心悲伤，世界就是悲伤的；今天你的心快乐，世界就是快乐的，但我们的心太不稳定了，它总是被外在的景象所左右。但只要掌握我们的心，让它不跟随表面的好坏波动，不就是经典所要传达的真义吗？我想我已经找到了答案，不需要再去中国了。”

看着元晓笑得这么开心，义湘只能摸摸头，他还是无法理解对方所洞察的真理：“你真的不去中国了吗？”

元晓笃定地点了点头，接了满满一壶的溪泉，向义湘告别：“我回去了，你一路小心！祝福你早日得到证悟。”

看着义湘依依不舍地离去，元晓内心十分明白：“每个人寻找的路都不一样，但最后都是走向解脱的目标。”他转头向溪水上的尸体深深一鞠躬，带着他所洞察的觉悟返回故乡开始了新的弘法之路。